Educación Física

Quinto grado

Educación Física. Quinto grado fue desarrollado por la Dirección General de Materiales Educativos (DGME), de la Subsecretaría de Educación Básica, Secretaría de Educación Pública.

Secretaría de Educación Pública
Alonso Lujambio Irazábal

Subsecretaría de Educación Básica
José Fernando González Sánchez

Dirección General de Materiales Educativos
María Edith Bernáldez Reyes

Coordinación técnico-pedagógica
María Cristina Martínez Mercado, Ana Lilia Romero Vázquez, Alexis González Dulzaides

Autores
Carlos Natalio González Valencia, Israel Huesca Guillén, Amparo Juan Platas, Leticia Gertrudis López Juárez, Jorge Medina Salazar, Ana Frida Monterrey Heimsatz

Revisión técnico-pedagógica
Amílcar Saavedra Rosas, Daniela Aseret Ortiz Martinez, Ivón Sofía González Miranda, María de los Ángeles García González

Asesores
Lourdes Amaro Moreno, Leticia María de los Angeles González Arredondo, Óscar Palacios Ceballos

Coordinación editorial
Dirección Editorial, DGME/SEP
Alejandro Portilla de Buen, Esther Pérez Guzmán

Cuidado editorial
Pablo Ávalos Quintero, Inti García

Producción editorial
Martín Aguilar Gallegos

Formación
Jéssica Berenice Géniz Ramírez

Portada
Diseño de colección: Carlos Palleiro
Ilustración de portada: Martha Avilés

Primera edición, 2010
Segunda edición, 2011 (ciclo escolar 2011-2012)

ISBN: 978-607-469-689-9

Impreso en México

Servicios editoriales (2010)
Grupo Editorial Siquisirí, S.A. de C.V.
Ana Laura Delgado, Sonia Zenteno, Angélica Antonio

Diseño y diagramación
Humberto Brera, Rosario Ponce Perea

Ilustración
Esmeralda Ríos (pp. 4, 8-23, 109-110), Nurivan Viloria (pp. 4, 24-43, 100-101, 103-104), Heyliana Flores (pp. 5, 44-63, 107), Herenia González (pp. 5, 64-83), Margarita Sada (pp. 6-7, 84-99, 102, 108)

Agradecimientos
La Secretaría de Educación Pública agradece a los más de 40 284 maestros y maestras, a las autoridades educativas de todo el país, al Sindicato Nacional de Trabajadores de la Educación, a expertos académicos, a los Coordinadores Estatales de Asesoría y Seguimiento para la Articulación de la Educación Básica, a los Coordinadores Estatales de Asesoría y Seguimiento para la Reforma de la Educación Primaria, a monitores, asesores y docentes de escuelas normales, por colaborar en la revisión de las diferentes versiones de los libros de texto llevada a cabo durante las Jornadas Nacionales y Estatales de Exploración de los Materiales Educativos y las Reuniones Regionales, realizadas en 2008 y 2009. Así como a la Dirección General de Desarrollo Curricular, Dirección General de Educación Indígena, Dirección General de Desarrollo de la Gestión e Innovación Educativa.

La SEP extiende un especial agradecimiento a la Organización de Estados Iberoamericanos para la Educación, la Ciencia y la Cultura (OEI), por su participación en el desarrollo de esta edición.

También se agradece el apoyo de las siguientes instituciones: Universidad Autónoma Metropolitana, Centro de Educación y Capacitación para el Desarrollo Sustentable de la Secretaría del Medio Ambiente y Recursos Naturales, Secretaría del Trabajo y Previsión Social, Ministerio de Educación de la República de Cuba. Asimismo, la Secretaría de Educación Pública extiende su agradecimiento a todas aquellas personas e instituciones que de manera directa e indirecta contribuyeron a la realización del presente libro de texto.

Presentación

La Secretaría de Educación Pública, en el marco de la Reforma Integral de la Educación Básica, plantea una propuesta integrada de libros de texto desde un nuevo enfoque que hace énfasis en la participación de los alumnos para el desarrollo de las competencias básicas para la vida y el trabajo. Este enfoque incorpora como apoyo las Tecnologías de la Información y Comunicación (TIC), materiales y equipamientos audiovisuales e informáticos que, junto con las bibliotecas de aula y escolares, enriquecen el conocimiento en las escuelas mexicanas.

Después de varias etapas, en este ciclo se consolida la Reforma en los seis grados y, en consecuencia, se presenta esta propuesta completa de los nuevos libros de texto, que abarca la totalidad de las asignaturas en todos los grados.

Este libro de texto incluye estrategias innovadoras para el trabajo escolar, demandando competencias docentes orientadas al aprovechamiento de distintas fuentes de información, el uso intensivo de la tecnología, la comprensión de las herramientas y de los lenguajes que niños y jóvenes utilizan en la sociedad del conocimiento. Al mismo tiempo, se busca que los estudiantes adquieran habilidades para aprender de manera autónoma, y que los padres de familia valoren y acompañen el cambio hacia la escuela mexicana del futuro.

Su elaboración es el resultado de una serie de acciones de colaboración, como la Alianza por la Calidad de la Educación, así como con múltiples actores entre los que destacan asociaciones de padres de familia, investigadores del campo de la educación, organismos evaluadores, maestros y expertos en diversas disciplinas. Todos han nutrido el contenido del libro desde distintas plataformas y a través de su experiencia. A ellos, la Secretaría de Educación Pública les extiende un sentido agradecimiento por el compromiso demostrado con cada niño residente en el territorio nacional y con aquellos que se encuentran fuera de él.

Secretaría de Educación Pública

Índice

Aventura 4

Aventura 5

Conoce tu libro

Este libro está compuesto por cinco aventuras, cada una formada por una serie de retos que tienen la finalidad de complementar tus sesiones de Educación Física, no de sustituirlas. Procura realizar todos los retos porque, además de ser divertidos, te ayudarán a tener un estilo de vida activo, lo que te permitirá relacionarte con otras personas (amigos, compañeros o familiares) para compartir experiencias, emociones e ideas, lo cual contribuye a tu formación y promueve la integración familiar. Recuerda que la educación de los niños es responsabilidad de todos.

Los retos puedes llevarlos a la práctica en la escuela, durante el recreo; en caso de contingencia ambiental, en la casa o, si tus profesores lo sugieren, como apoyo durante las sesiones.

En las primeras páginas del libro encontrarás:

Bitácora de juegos y ejercicio

En este apartado encontrarás algunas recomendaciones que debes considerar para que te ejercites diariamente. La bitacora te ayudará a formar el hábito de la actividad física al programar y registrar diariamente tus actividades.

Al iniciar cada aventura habrá una presentación:

Presentación de la aventura

Se describe el propósito de los retos que la integran.

Cada reto se forma por las siguientes partes:

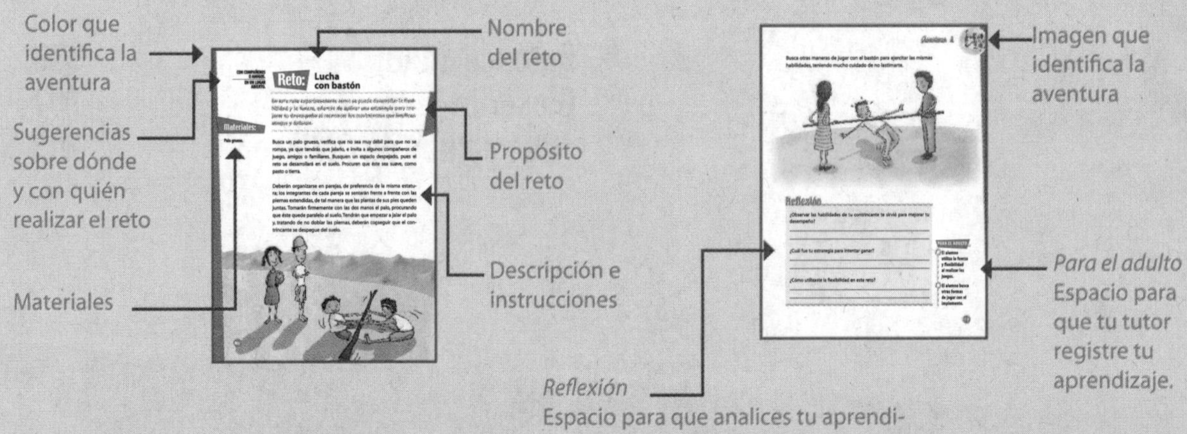

Al final de cada aventura encontrarás un anecdotario:

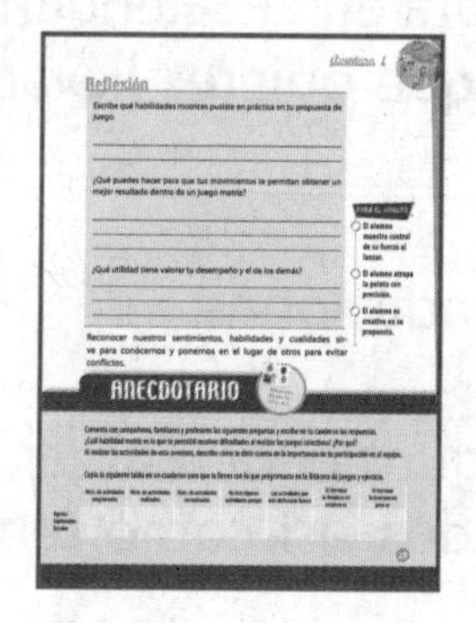
Reflexión

ANECDOTARIO

Anecdotario

Aquí expresarás lo que aprendiste en los retos y en tus sesiones de Educación Física, así como su utilidad para tu vida.

Tu libro tiene las siguientes secciones:

Reto: Brazo contra resortera

Consulta en...

Sugerencias para buscar información que complemente lo que se trabajó en los retos. El ícono que acompaña esta sección te recuerda que la busqueda en Internet la realicen en compañía de un adulto.

Reto: Espiro

Un dato interesante

Un dato interesante

Es información interesante relacionada con los temas tratados en los retos.

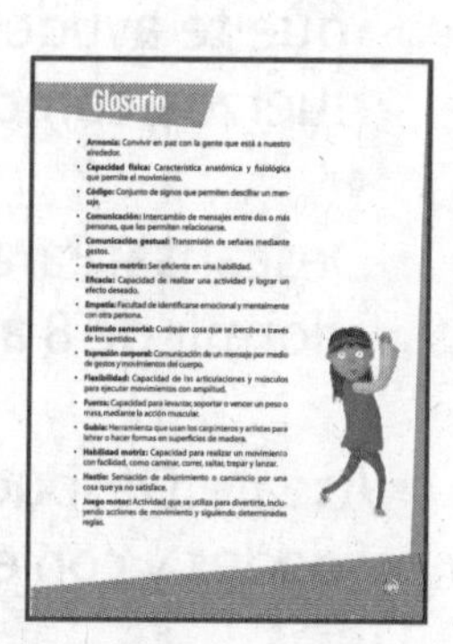
Glosario

Glosario

En algunas páginas hay palabras resaltadas con un color diferente y su significado aparece en el glosario que se encuentra al final del libro. Si existen palabras que no conoces, investiga su significado en un diccionario de la Biblioteca escolar o de aula.

Bitácora de juegos y ejercicio

Al principio de cada mes, programa y anota en el calendario de la "Bitácora de juegos y ejercicio" las actividades que quieres llevar a cabo en ese periodo.

Para ello, considera las siguientes recomendaciones:

- Busca un entorno físico adecuado y seguro para realizar actividad física. Evita avenidas y lugares muy transitados, así como temperaturas ambientales extremas.

- Aliméntate sanamente. Procura que tu alimentación sea correcta y sin excesos, pues la energía que necesitas para moverte y crecer la obtienes de lo que comes.

- Hidrátate. Toma agua simple potable cuando hagas ejercicio, pues tu cuerpo pierde líquidos y minerales que necesitas recuperar; es recomendable que tomes de seis a ocho vasos diarios.

- Visita al médico. Revisa cada mes tu peso, estatura y estado físico.

- Prepárate para la actividad física vigorosa. Realiza movimientos de calentamiento y estiramiento leves. Pregunta a tu profesor algunas alternativas.

- Realiza actividad física con frecuencia. Se recomienda por lo menos cinco días a la semana realizar 60 minutos de actividades moderadas, como caminar, o 30 minutos de ejercicios más vigorosos, como correr o practicar algún deporte. Dos o tres veces por semana realiza ejercicios de fuerza que te ayuden a mantener firmes tus músculos. Evita hacer grandes esfuerzos, como levantar objetos pesados.

- Descansa. Para mantener una buena salud y recuperar energía procura dormir de 8 a 10 horas diarias.

- Aséate. Después de hacer una actividad física, aséate para evitar enfermedades y con ello te sentirás más limpio y cómodo.

Instrucciones

Al inicio de cada mes programa las actividades físicas que realizarás. Para ello, colorea los recuadros del calendario, según el siguiente código de colores. Si necesitas agregar actividades que no están anotadas, asígnales un color diferente de los que aquí aparecen.

- Sesiones de Educación Física
- Algún entrenamiento deportivo
- Retos del libro
- Reuniones de juego con amigos
- Ejercicio físico con mi familia
- Otras (especifica)

En el calendario señala con una paloma (✓) el día que sí hiciste la actividad programada. Al final del mes tendrás el registro del total de actividades que realizaste y las que no.

Ejemplo:

SEPTIEMBRE

D	L	M	M	J	V	S

Al final de cada aventura habrá un espacio para que hagas un balance sobre la actividad física que programaste y realizaste.

AGOSTO

D	L	M	M	J	V	S

SEPTIEMBRE

D	L	M	M	J	V	S

OCTUBRE

D	L	M	M	J	V	S

NOVIEMBRE

D	L	M	M	J	V	S

DICIEMBRE

D	L	M	M	J	V	S

ENERO

D	L	M	M	J	V	S

FEBRERO

D	L	M	M	J	V	S

MARZO

D	L	M	M	J	V	S

ABRIL

D	L	M	M	J	V	S

MAYO

D	L	M	M	J	V	S

JUNIO

D	L	M	M	J	V	S

JULIO

D	L	M	M	J	V	S

Aventura 1

La acción produce emoción

En esta aventura resolverás problemas en los que emplees tus habilidades motrices en juegos colectivos.

Con estas experiencias podrás crear alternativas de movimiento y verás que tu cuerpo tiene tantas posibilidades como estés dispuesto a encontrar. Te darás cuenta de que cada persona puede solucionar de manera diferente las situaciones que se le presenten y eso no significa que estén bien o mal, sino que puede haber soluciones que a ti o a ellos no se les había ocurrido.

Al principio de cada mes recuerda programar y anotar, en el calendario de la Bitácora de juegos y ejercicio en la página 10, las actividades que pretendes realizar en ese periodo.

CON LA AYUDA DE UN ADULTO.

EN UN LUGAR CERRADO.

Nos comprometemos

En este reto identificarás lo que puedes aprender en Educación Física durante quinto grado, además te comprometerás a realizar todos los retos del libro.

Descubrirás la riqueza del trabajo en equipo, manifestarás con claridad tus ideas y respetarás a los demás. Participarás en juegos de diferentes lugares de México y los adaptarás al lugar donde vives. Crearás sonidos con tu cuerpo, los combinarás y disfrutarán actividades que involucren el ritmo.

La aventura de educar tu cuerpo implica compromiso y determinación, considera que puedes encontrarte con dificultades, pero no deben detenerte ya que aportan aprendizajes útiles. Terminar lo que empiezas te hará sentir satisfecho y orgulloso.

Para participar en esta serie de aventuras tienes que comprometerte junto con tu mamá, papá o tutor a realizar todos los retos de este libro, respetar las propuestas de los demás y colaborar en todo momento.

Compromiso

Yo ______________________________ estoy dispuesto(a) a vivir esta serie de aventuras, divirtiéndome, aprendiendo al máximo y compartiéndolas con todas las personas que pueda.

Para el adulto

Yo, Sr(a).______________________________

estoy dispuesto(a) a acompañar y a apoyar a mi hijo(a) para que logre disfrutar y terminar todas las aventuras.

Reflexión

¿En qué aspectos relacionados con tu motricidad te gustaría mejorar?

____

CON COMPAÑEROS O AMIGOS.

EN UN LUGAR ABIERTO.

Reto: Catapulta

En este reto identificarás los movimientos necesarios para solucionar un problema de la mejor manera.

Las propuestas de solución de cada persona a un problema pueden ser muy distintas, pero son igualmente válidas.

La catapulta es una máquina simple que aplica el principio de la palanca y sirve para arrojar objetos. Para construir tu catapulta busca un área despejada, coloca el punto de apoyo en el suelo; pon la tabla sobre él. Con papel o trapo haz una bola pequeña, que lanzarás con ayuda de la catapulta.

Materiales:

Bote de plástico mediano y cordón elástico o tira de tela, papel o trapo, tabla ancha y un pedazo de madera, roca o ladrillo como punto de apoyo.

Invita por lo menos a un compañero de juego, determinen quién atrapa primero la bola y quién acciona la catapulta con el pie; ubíquense como muestra la imagen.

Exploren los movimientos que necesitan realizar y la manera cómo deben colocar las partes de la catapulta para activarla y atrapar la bola fácilmente.

Un dato interesante

Los palos que se utilizan para jugar golf están compuestos por una varilla que en un extremo tiene un mango o empuñadura llamado grip, y en el otro una cabeza llamada head. Unos palos son llamados maderas y otros hierros, y están numerados del 1 al 9. El golfista analiza la situación a partir de las condiciones del terreno y la distancia para seleccionar el palo que le permita realizar un buen golpe y así obtener un mejor resultado.

Intenten realizar lo siguiente:

- Atrapar la bola con la mano menos hábil.
- Atrapar la bola cuando esté en su punto más alto.
- Colocarte de espalda a la catapulta y, cuando escuches que fue accionada, voltear rápidamente e intentar atrapar la bola.

Es tu turno para proponer y llevar a cabo dos variantes, escríbelas en tu cuaderno.

Ahora haz dos orificios en la parte inferior del bote, inserta y sujeta el cordón elástico, colócalo en tu cabeza y amárralo a la barbilla. Intenta atrapar la bola con el bote. Sujeta el bote a otras partes de tu cuerpo. Recuerda que tu compañero y tú deben realizar el mismo número de intentos y cambiar los roles en el reto.

Consulta en...

Si quieres saber por qué el cuerpo y la mente trabajan juntos consulta http://sepiensa.org.mx/contenidos/f_inteligen/cinetica/cine_1.htm

PARA EL ADULTO

- **El alumno identifica elementos de la actividad que lo llevan a resolver mejor la situación de juego.**
- **El alumno modifica actividades de su vida diaria para realizarlas con mayor facilidad.**

Reflexión

¿Qué elementos identificaste en la actividad que te haya permitido resolver mejor la situación de juego?

____

____

¿Qué actividades de tu vida has analizado para realizarlas de una manera más fácil?

____

____

Reto: El olote que vuela

CON COMPAÑEROS O AMIGOS.

EN UN LUGAR ABIERTO.

En este reto practicarás la habilidad motriz básica de lanzar, considerando la precisión y la distancia para realizarlo de manera eficiente. También propondrás variantes para realizar el juego.

Primero construye tu juguete. Remoja el olote (corazón seco de la mazorca) durante unos minutos para que ablande y sea más fácil trabajar con él. Inserta las plumas en el extremo más ancho, como si fueran las hojas de una zanahoria. Puedes fijarlas con un poco de pegamento o anudarlas con un hilo o una cinta.

Pueden jugar dos o más personas que lanzarán el olote lo más lejos que puedan y hacia puntos previamente determinados. La puntuación obtenida dependerá de la distancia alcanzada y de la precisión del lanzamiento.

Cuando no utilices el olote, recuerda guardarlo en el "Baúl del arte".

Materiales:

Olote o bola de estambre, tres plumas de guajolote, gallina o ave o listones, pegamento blanco o hilo o cinta.

Un dato interesante

El olote que vuela es un juego de origen prehispánico y se practica actualmente en el estado de San Luis Potosí, lo juegan niños, adolescentes y adultos, por lo general durante la temporada de la cosecha del maíz, que comprende de agosto a noviembre. Olotl Patlakaolotl es su nombre náhuatl.

Para llevar a cabo los juegos en los que se lanzan objetos, en este caso el olote, es necesario un lugar apropiado; además pueden elaborar estrategias para adecuar el juego al lugar donde vives y a las personas con quienes lo practiques. Diseña nuevas maneras de lanzar y jugar con este implemento. Seguramente estas variantes serán tan divertidas que querrás practicarlo en tu tiempo libre.

Consulta en...

Para conocer más juegos, que contribuyan al desarrollo de tus habilidades motrices revisa la página de la Federación Mexicana de Juegos Autóctonos y Tradicionales: http://www.jcarlosmacias.com/autoctonoytradicional/

Reflexión

Describe las nuevas formas que encontraste para lanzar el olote.

___

___

¿En qué situaciones de tu vida diaria necesitas lanzar objetos con precisión?

___

___

Describe el movimiento de lanzamiento que te resultó más eficaz para lograr el objetivo (precisión o distancia).

___

___

___

PARA EL ADULTO

- El alumno lanza con precision.
- El alumno adapta el juego al contexto donde vive.

Reto: Niño araña

INDIVIDUAL.
CON LA AYUDA DE UN ADULTO.
EN UN LUGAR ABIERTO O CERRADO.

En este reto realizarás actividades que te ayudarán a conocerte para tomar decisiones adecuadas.

Sólo cuando te das la oportunidad de experimentar tienes la posibilidad de aprender cosas nuevas, esto te permite identificar lo que se te facilita y en qué necesitas más práctica o ayuda.

Busca algún objeto que se encuentre en un lugar un poco más alto que tú, de preferencia que no lo alcances si estás parado. Salta e intenta tocarlo, después proponte tocarlo varias veces antes de caer al suelo.

Busca objetos que se encuentren en lugares cada vez más altos e intenta utilizar tus dos manos para alcanzarlos.

Ahora busca dos superficies firmes que no estén muy separadas, por ejemplo, el marco de una puerta, un pasillo, dos árboles; la separación entre ellos debe ser más grande que el ancho de tus hombros. Verifica que la superficie sea resistente. Empújate con manos y pies en el marco de la puerta o en el lugar que elegiste, intenta trepar, moviendo una extremidad a la vez, primero un pie, luego una mano, después el otro pie y asi sucesivamente hasta alcanzar una altura no mayor a un metro.

Finalmente busca una barda, una cerca o un mueble que no se encuentre a una altura mayor que tus hombros. Trepa hasta pasar al otro lado. No te pongas en riesgo intentando trepar demasiado alto. Invita a alguien más a realizar la actividad contigo: a un adulto o a tus amigos.

PARA EL ADULTO

Acompañe al alumno en el reto y verifique que no suban a lugares que puedan ser peligrosos.

- **El alumno reconoce sus habilidades y límites al realizar actividades motrices.**
- **El alumno se desempeña con seguridad al momento de realizar el reto.**

Reflexión

¿Qué propuestas diferentes a las sugeridas realizaste para lograr los retos?

____

____

____

¿En qué actividades de la vida diaria podrías usar esta clase de movimientos o habilidades?

____

____

____

____

Reto: Camino cerrado

CON COMPAÑEROS O AMIGOS.

CON LA AYUDA DE UN ADULTO.

EN UN LUGAR ABIERTO.

En este reto reconocerás tu desempeño y el de los demás para resolver problemas que impliquen el dominio de habilidades motrices básicas como desplazarte y lanzar un implemento.

Materiales:

Cinta adhesiva, pelota, gis o algo para marcar en el suelo, cartón, marcadores y tijeras.

Recorta un círculo de cartón de 30 centímetros de diámetro, pégalo en una pared a una altura aproximada de dos metros del suelo.

Aproximadamente a unos 3 metros de la pared, tracen en el suelo un camino cerrado de unos seis metros de largo que tenga por lo menos dos ángulos rectos. Al final del camino y en cada uno de los ángulos o vueltas tracen un círculo. Básense en la imagen.

Una vez trazado el camino, el participante que realizará el recorrido inicia colocándose en la entrada, otro participante sostendrá la pelota y se ubicará al final del camino pero a dos metros de distancia.

El reto consiste en recorrer el camino desplazándose lateralmente lo más rápido posible, al llegar a cada círculo dar un salto con giro y retomar el camino. En el último círculo, después de realizar el giro, es necesario estar preparado para recibir la pelota que lanzará el compañero e inmediatamente lanzarla tratando de atinarle al círculo colocado en la pared. Recuerda que cada participante lo realizará de acuerdo con sus posibilidades.

Cambien de rol y busquen otras alternativas de desplazamientos, movimientos y forma del camino. Escribe y dibuja tus propuestas en un cuaderno.

Reflexión

Escribe por lo menos dos situaciones de tu vida en las que hayas usado tus habilidades motrices para resolver un problema.

____

____

____

____

____

¿Por qué es importante respetar la manera en que cada una de las personas puede solucionar un problema?

____

____

____

PARA EL ADULTO

- ○ **El alumno modifica desplazamientos para realizar el recorrido.**
- ○ **El alumno identifica habilidades motrices que utiliza para resolver algún problema.**

Bota y rebota

CON COMPAÑEROS DE JUEGO.

CON LA AYUDA DE UN ADULTO.

EN UN LUGAR ABIERTO

En este reto recuperarás lo aprendido en la aventura al inventar un juego con sus respectivas reglas y al organizarte con todos los compañeros que quieran participar.

Has experimentado retos que te permitieron resolver problemas de juego en donde pusiste en práctica tus habilidades motrices (correr, lanzar, atrapar, trepar), así como valorar tu desempeño y el de los demás.

Materiales:

Pelota de esponja u otro material, papel, cartón o cartulina, tijeras.

Dibuja la figura geométrica que más te guste, de 30 cm de ancho aproximadamente, y recórtala. Consigue una pelota que bote. Pega tu figura en una pared e intenta golpearla con la pelota muchas veces, alejándote cada vez más. Intenta lanzarla de varias formas o golpearla con diferentes partes del cuerpo. Cuando haya rebotado en la figura, deja que bote una vez en el suelo y trata de atraparla.

Comenta lo siguiente:

- La práctica te puede ayudar a hacer lo que quieres cada vez mejor. ¿Qué sientes cuando tienes el control de tus movimientos?
- ¿Qué parte del cuerpo utilizaron más tus compañeros de juego?
- A la mayoría, ¿con qué mano se le hizo más fácil lanzar?

Recuerda y escribe algún momento gracioso de tu vida en el que haya sido importante lanzar y atrapar.

____

____

____

Inventa un juego utilizando los tres elementos con los que jugaste anteriormente: figura geométrica, pared y pelota; toma en cuenta tus capacidades y habilidades físicas.

Puedes usar objetos adicionales para hacerlo más divertido. Planea tu propuesta de juego escribiendo el nombre, reglas, descripción y un dibujo que lo ilustre. Cuando la termines, juega con tus compañeros la que les parezca más divertida e interesante. Invita también a tus familiares y amigos, explícales tus propuestas, juega con ellos y pregúntales si se les ocurre algo diferente, sé respetuoso al escuchar las propuestas de los demás.

Ahora sugiere a tus compañeros o familiares jugar así: asigna un número a cada participante para indicar el orden. Cada uno lanzará la pelota hacia la pared y la atrapará de nuevo, la pelota sólo podrá botar una vez antes de ser atrapada. Empezará el número uno, luego el dos y así sucesivamente.

Otra variante del juego puede ser que quien lance la pelota grite un número y que la persona que tiene asignado ese número tenga que atraparla y lanzarla de nuevo diciendo otro número, tratando de que todos participen. A quien se le caiga la pelota más de tres veces tendrá que modificar una regla del juego para hacerlo más divertido.

Reflexión

Escribe qué habilidades motrices pusiste en práctica en tu propuesta de juego.

____

____

¿Qué puedes hacer para que tus movimientos te permitan obtener un mejor resultado dentro de un juego motriz?

____

____

____

¿Qué utilidad tiene valorar tu desempeño y el de los demás?

____

____

____

Reconocer nuestros sentimientos, habilidades y cualidades sirve para conocernos y ponernos en el lugar de otros para evitar conflictos.

PARA EL ADULTO

- El alumno muestra control de su fuerza al lanzar.
- El alumno atrapa la pelota con precisión.
- El alumno es creativo en su propuesta.

ANECDOTARIO

Recuerda llenar tu bitácora

Comenta con compañeros, familiares y profesores las siguientes preguntas y escribe en tu cuaderno las respuestas.
¿Cuál habilidad motriz es la que te permitió resolver dificultades al realizar los juegos colectivos? ¿Por qué?
Al realizar las actividades de esta aventura, describe cómo te diste cuenta de la importancia de tu participación en el equipo.

Copia la siguiente tabla en un cuaderno para que la llenes con lo que programaste en la Bitácora de juegos y ejercicio.

Núm. de actividades programadas	Núm. de actividades realizadas	Núm. de actividades no realizadas	No hice algunas actividades porque	Las actividades que más disfrutaste fueron	Al terminar la Aventura mi estatura es	Al terminar la Aventura mi peso es

sto-
tiembre-
ıbre

Aventura 2

Juego y ritmo en armonía

En esta aventura realizarás actividades y juegos en los que integrarás elementos como el ritmo, la coordinación general y segmentaria, además de percusiones, secuencias de movimientos y juegos cantados.

Recuerda al principio de cada mes programar y anotar tus actividades en el calendario de la Bitácora de juegos y ejercicio en la página 10.

CON COMPAÑEROS O AMIGOS.

EN UN LUGAR ABIERTO O CERRADO.

De dos bandos

En este reto emplearás otra alternativa para integrar equipos, además de trabajar con tu ritmo y movimiento.

Cuando participas en juegos de dos bandos (equipos) es necesario que se integren de la manera más equilibrada posible; esto se logra al reconocer las habilidades de los demás, lo que permitirá que el juego sea divertido para todos y promoverá buenas relaciones.

¿Qué harías para dividir el grupo de amigos en dos bandos en igualdad de condiciones; es decir, para que su fuerza, peso, estatura y habilidades estén equilibradas?

Una manera es: dos compañeros, uno frente al otro, mueven una de sus manos, balanceándola hacia la derecha e izquierda, con el puño cerrado y diciendo rítmicamente al mismo tiempo la frase "Chin, chan, pu, piedra, papel o tijeras". Al terminar la frase, tendrán que mostrar la mano con una de las tres formas siguientes:

- mano abierta será papel
- puño cerrado será piedra
- dedos meñique, anular y pulgar doblados y los otros dos dedos extendidos y abiertos serán tijeras.

El código para saber quién gana es:

- piedra rompe las tijeras
- tijeras cortan papel
- papel envuelve la piedra.

Inventa tu frase: primero con el mismo inicio: "Chin, chan, pu...", cambia "piedra, papel o tijeras" por otras palabras que se refieran a objetos relacionados por el mismo principio: uno gana al dos, dos gana al tres y tres gana al uno; asígnales figuras con la mano. Escribe por lo menos una propuesta.

____

____

Ahora, elabora una frase rítmica o retómala de alguna canción o verso que conozcas, asígnale señas con una mano u otra parte de tu cuerpo. Anótala a continuación:

____

____

____

Ya tienes por lo menos dos propuestas donde puedes poner a prueba tu agilidad mental, movimiento y ritmo, coméntalas con otros y pónganlas en práctica para formar bandos equilibrados para sus juegos.

Reflexión

¿Por qué son útiles los juegos donde pones a prueba tu movimiento y ritmo?

___

___

___

¿Qué piensas acerca de elegir de manera justa con el fin de que los equipos estén en igualdad de condiciones?

___

___

___

PARA EL ADULTO

- **El alumno muestra seguridad al participar en actividades con ritmo y movimiento.**
- **El alumno toma decisiones justas al participar en juegos colectivos.**

CON COMPAÑEROS O AMIGOS.

EN UN LUGAR ABIERTO O CERRADO.

Reto: De tin marín...

En este reto participarás en "juegos para escoger", además estimularás tu coordinación segmentaria con versos rítmicos y podrás disfrutar de la convivencia con otros.

En la organización de los juegos se tiene que decidir quién empieza, quién lanza, quién escoge o quién representa. Para ayudar a tomar estas decisiones, en algunos lugares se utilizan "Juegos para escoger", que han pasado de generación en generación y que son divertidos.

El juego "De tin marín" te ayudará a elegir de manera divertida quién iniciará un juego. Practícalo de la siguiente manera:

Primero divide en partes los versos. En esta ocasión cada color corresponde a una persona.

De tin marín,
de do pingüé,
cúcara mácara,
títere fue.

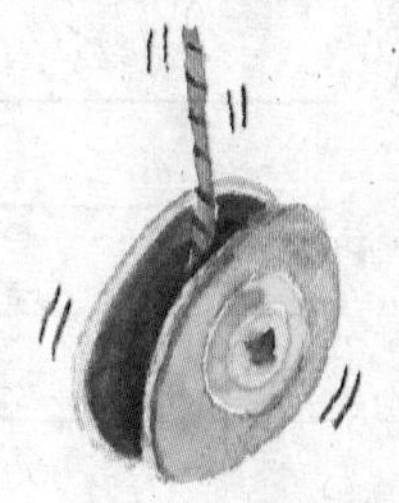

Yo no fui,
fue Teté,
pégale, pégale,
que ella merita fue.

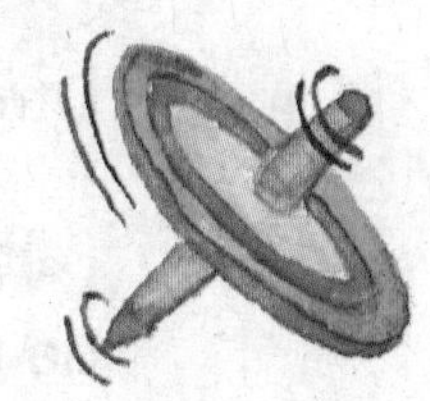

Ahora coordina tus movimientos con lo que vas diciendo y señala a un compañero al mismo tiempo que recitas rítmicamente cada elemento de un verso. A quien le toque el último señalamiento, será el elegido.

Otros dos juegos para escoger y decidir a quién le toca el turno son:

Pin uno,
pin dos,
pin tres,
pin cuatro,
pin cinco,
pin seis,
pin siete y
pin ocho.

Zapatito blanco,
zapatito azul,
dime cuántos años
tienes tú.
–Diez [por ejemplo].
Uno, dos, tres, cuatro, cinco,
seis, siete, ocho, nueve, diez.
Manzana podrida,
uno, dos, tres,
salida.

Inventen otros juegos para escoger y anótalos en las siguientes líneas.

____

____

____

____

____

____

____

____

____

Otros juegos para escoger son:

Pajitas. Toma varias pajitas o ramitas de diferentes tamaños en una de tus manos, tantas como participantes haya, muestra las ramitas, ocultando en tu puño las diferencias de tamaño. Cada jugador escogerá una y quien tome la más pequeña o la más grande, según lo hayan establecido, será el seleccionado.

Rayuela. Se trazará una raya en el suelo. Desde un punto acordado por todos, cada jugador lanzará una piedra o moneda hacia la raya. El dueño de la moneda o piedra que más cerca esté de la raya será el ganador, es decir, el elegido.

Reflexión

En tu vida, ¿en qué situaciones sincronizas tus movimientos con el ritmo?

____

¿Consideras que debes mejorar en este aspecto? ¿Qué harías para lograrlo?

____

____

Describe qué es lo que más disfrutas de trabajar en equipo.

____

____

PARA EL ADULTO

- ○ **El alumno coordina sus movimientos con los versos rítmicos.**
- ○ **El alumno muestra actitud positiva cuando juega en grupo.**

INDIVIDUAL.
EN UN LUGAR CERRADO.

Reto: Baile por partes

En este reto realizarás movimientos de segmentos corporales como piernas, tronco, cadera, brazos y cabeza, coordinándolos al ritmo de distintos géneros y estilos musicales. Además, experimentarás el control que puedes tener sobre tu cuerpo.

Materiales:

Radio o reproductor de música.

Selecciona música de distintos géneros o estilos que más te agraden para bailar. Coloca la palma de tu mano sobre la bocina del reproductor de música o radio; el volumen debe ser moderado, pues exponerte a sonidos con volumen alto puede causar lesiones en tu aparato auditivo.

Cierra los ojos y siente la música, comienza moviendo algún segmento corporal al ritmo de la música, intenta realizar la misma acción con otros segmentos corporales y con distintas canciones.

Escoge la canción que más te guste y colócate de frente a la pared, acercándote lo más que puedas, de tal manera que tu pecho, abdomen y punta de los pies la estén tocando. Al ritmo de la música, mueve sólo un segmento corporal y evita mover otras partes del cuerpo. Explora con cada segmento corporal la misma acción y busca realizar movimientos originales. Ahora realízalo colocándote con la espalda pegada a la pared y descubre nuevas maneras de moverte al ritmo de la música.

Por último, frente a un objeto que te refleje y en un espacio despejado mueve todo el cuerpo practicando los movimientos que inventaste.

Reflexión

¿Tienes control sobre diferentes partes de tu cuerpo? ¿Las puedes coordinar al ritmo de la música? ¿Por qué?

___

¿Qué importancia tiene controlar tus movimientos?

___

___

PARA EL ADULTO

- **El alumno coordina sus movimientos con determinada parte del cuerpo siguiendo un ritmo musical.**
- **El alumno valora la importancia del control de sus movimientos.**

CON COMPAÑEROS O AMIGOS.

EN UN LUGAR ABIERTO O CERRADO.

Reto: Soy un instrumento

En este reto descubrirás diferentes sonidos y percusiones que puedes hacer con tu cuerpo. Asi mismo, pondrás a prueba tu creatividad al hacer composiciones rítmicas y explorarás de una manera distinta la interacción con otros.

Explora sonidos que puedas producir con tu cuerpo: puedes utilizar chasquidos, percusiones en cualquier parte de tu cuerpo, gritos, silbidos, sonidos que puedas producir con la boca, o con lo que se te ocurra. Selecciona al menos ocho sonidos diferentes. En este juego no se vale cantar.

Invita a tus compañeros de juego o amigos a que experimenten lo que hiciste. Comparte con ellos los ocho sonidos diferentes que seleccionaste, y escucha los de ellos para que elijan los ocho que más les gusten, para que organicen una composición ritmica que forme una melodía. Consideren los siguientes aspectos:

- Debe tener un inicio y un final muy claros.
- Los ocho sonidos deben participar y combinarse.
- Un sonido puede repetirse varias veces, pero sin que se ocupe siempre.

Al terminar su composición, organicen una presentación para otros compañeros o personas que se interesen. Si pueden, graben su creación, ya que así podrán escucharla.

Reflexión

¿Qué dificultades encontraste al crear la secuencia de percusiones y sonidos con tu cuerpo?

____

____

____

De los sonidos que creaste, ¿cuál te pareció más interesante y original?

____

____

PARA EL ADULTO

- **El alumno utiliza diferentes partes de su cuerpo para crear sonidos.**
- **El alumno muestra a otros su composición rítmica.**

INDIVIDUAL.
CON LA AYUDA DE UN ADULTO.
EN UN LUGAR ABIERTO.

Reto: Palo de lluvia

En este reto descubrirás lo agradable que es crear movimientos y sonidos propios para bailar, así como emplear el ritmo y movimiento como medio para convivir con otros.

Materiales:

Tubos de papel higiénico o de toallas de cocina, trozos de cartón, pegamento, semillas, alfileres o clavos, cinta adhesiva, lápiz, tijeras, pinturas de colores, brochas, pinceles.

¿Te gusta jugar mientras cantas o bailas? Al hacerlo puedes relacionarte con los demás; por ejemplo, cuando vas a una fiesta o baile, puedes conocer gente interesante y divertirte sanamente.

Ahora, sigue las instrucciones para hacer tu palo de lluvia.

1

Une los tubos por los extremos con el pegamento y la cinta adhesiva hasta formar un solo tubo largo; entre más tubos utilices, el sonido del instrumento será más prolongado e interesante. Tapa uno de los lados de este tubo con un círculo de cartón.

2

Pinta el tubo con el color que elijas. Espera a que seque y decóralo con otros colores o con papel.

3

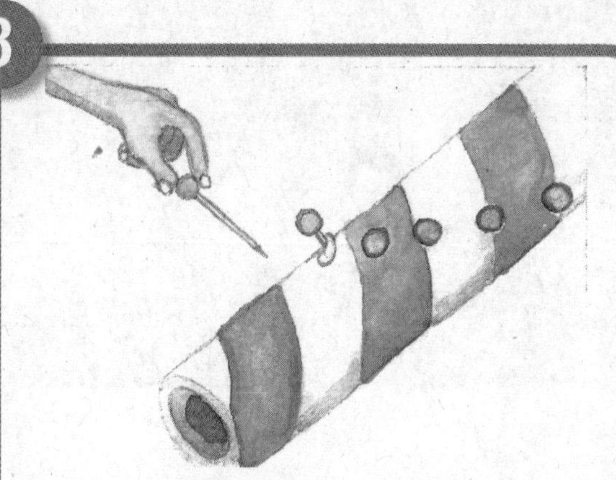

Inserta los alfileres (de preferencia de cabeza de plástico) o los clavos pequeños, formando una espiral a lo largo del tubo; si colocas más alfileres y la espiral es más cerrada, el sonido será mejor. Pon una gota de pegamento entre la cabeza de cada alfiler y el tubo de cartón. Ten cuidado para no lastimarte con los alfileres.

4

Introduce algunas de las semillas o piedritas en el tubo. Realiza pruebas de sonido; voltea despacio el tubo cubriéndolo con la mano y escucha el sonido que se produce; agrega o quita semillas o piedritas y decide cómo te gusta más.

5

Al terminar de meter las piedras o semillas que deseas dejar dentro del tubo, pégale la segunda tapa y dale el acabado final.

Puedes utilizar este instrumento para ambientar la narración de algún cuento, historia o mito (de los libros de la Biblioteca Escolar, por ejemplo) que compartas con tus compañeros.

Reúnete con tus compañeros de juego, experimenten con diferentes tipos de música para bailar y acompañen los movimientos con su palo de lluvia.

Un dato interesante

Existe un arte llamada "capoeira", que surgió en Brasil como medio de expresión contra la dominación y que combina la danza y el combate. Se realiza por medio de movimientos, baile, acrobacias, música y rezos.

Consulta en...

Para aprender la importancia de no discriminar visita la página: http://www.conapred.org.mx/

Guarda tu palo de lluvia en el "Baúl del arte".

Reflexión

¿Qué sientes al crear movimientos propios?

___

___

___

¿Consideras que el ritmo y movimiento pueden ser útiles para convivir con otras personas? ¿Por qué?

___

___

___

PARA EL ADULTO

- El alumno crea movimientos con fluidez.
- El alumno utiliza las actividades rítmicas para socializar.

Reto: Sonidos de tu entorno

INDIVIDUAL.
EN UN LUGAR ABIERTO.

Este reto te ayudará a identificar, coordinar y adaptar tus movimientos al ritmo de los sonidos de tu entorno.

De los sonidos corporales que inventaste en el reto "Soy un instrumento", identifica y escribe los largos y los cortos.

____

____

Los sonidos que produce tu palo de lluvia, ¿son cortos o largos?

____

Al caminar en tu entorno escucha todos los sonidos que puedas y trata de clasificarlos en largos o cortos, según el tiempo que dure el sonido. Por ejemplo, la campanada en una iglesia es un sonido largo, mientras que el sonido que se produce al cerrar una puerta es corto. Adapta tu caminar al ritmo de los sonidos.

En el siguiente cuadro escribe cómo adaptaste tu forma de caminar según los sonidos sean cortos o largos.

Sonidos cortos	Sonidos largos

De los sonidos que anotaste, elige uno largo y uno corto, y asígnales un signo escrito a cada uno; por ejemplo, una línea al largo y un punto al corto. Escribe una secuencia donde combines los signos que elegiste, y sigue explorando hasta que te agrade lo que escuches. Intenta hacer esto únicamente con sonidos fáciles de reproducir, como los corporales, o utilizando algún instrumento sencillo. Interpreta y muestra tu obra.

En tu tiempo libre invita a tus compañeros a realizar este tipo de actividades que benefician la salud y contribuyen a tu desarrollo personal.

Un dato interesante

Los perros pueden escuchar sonidos débiles y lejanos a una distancia entre cuatro y cinco veces mayor que el humano, además de que perciben sonidos de alta frecuencia que el ser humano no puede escuchar.

Reflexión

¿Qué sientes al coordinar tus movimientos a distintos ritmos?

____

____

De los sonidos que generaste, describe el que más te haya gustado.

____

____

PARA EL ADULTO

- **El alumno coordina sus movimientos con distintos ritmos.**
- **El alumno adapta sus movimientos a sonidos de su entorno.**

ANECDOTARIO

Comenta con compañeros, familiares y profesores las siguientes preguntas y escribe en tu cuaderno las respuestas.

Explica cómo puedes mejorar tu coordinación a través del ritmo. En las actividades rítmicas colectivas, ¿Qué beneficios observas al compartir el espacio con tus compañeros?

Copia la siguiente tabla en un cuaderno para que la llenes con lo que programaste en la Bitácora de juegos y ejercicio.

Núm. de actividades programadas	Núm. de actividades realizadas	Núm. de actividades no realizadas	No hice algunas actividades porque	Las actividades que más disfrutaste fueron	Al terminar la Aventura mi estatura es	Al terminar la Aventura mi peso es

Más rápido que una bala

Bienvenido a la tercera aventura. Aquí disfrutarás de retos que te ayudarán a desarrollar tu agilidad y destreza motriz en juegos colectivos, manipulando y controlando diferentes implementos. Compartirás experiencias con amigos y familiares para que juntos construyan su aprendizaje.

Tu perseverancia, dedicación y creatividad serán fundamentales, pues dependerá de ti organizarte para darle tiempo necesario a estas experiencias. Y recuerda que "el que persevera alcanza".

Al principio de cada mes recuerda programar y anotar las actividades que pretendas realizar durante ese periodo, en el calendario de la Bitácora de juegos y ejercicio que se encuentra en la página 10.

CON COMPAÑEROS O AMIGOS.

EN UN LUGAR ABIERTO.

Reto: Espiro

En este reto controlarás y mejorarás tu agilidad al golpear un implemento con movimientos rápidos y fluidos.

Materiales

Soga larga, pelota, trozo de tela.

Con la práctica podrás mejorar tu habilidad para atrapar, lanzar o golpear hasta convertirte en un experto en este juego.

Con el trozo de tela cubre la pelota, apretándola con una mano y amárrala firmemente con un extremo de la soga, de tal forma que no se pueda abrir fácilmente. Busca un árbol delgado, tubo o poste que no sostenga ningún cable y ata el otro extremo de la soga lo más arriba que puedas para esto puedes utilizar un banco pequeño. Lo anterior será más fácil si colaboran varias personas.

Un dato interesante

En algunas regiones de México existe un juego llamado "pelota mixteca de hule" en el que se utiliza una pelota que pesa 900 gramos y para golpearla se usa un guante de cuero de entre 5 y 7 kg de peso. Se necesita ser fuerte para jugarlo, ¿no crees?

El juego consiste en golpear la pelota para enredar la soga antes que tu compañero; tú lo haces golpeándolo hacia un lado y tu compañero hacia el otro. El que logre enredarla primero gana. Ten mucho cuidado para que no te golpee la pelota cuando sea el turno de tu compañero. Una variante del juego es atrapar la pelota antes de golpearla. Utiliza tu creatividad e inventa un nuevo juego. Recuerda guardar tu juguete en el "Baúl del arte" después de utilizarlo.

Reflexión

Un elemento que se debe considerar para golpear o atrapar la pelota es la velocidad. ¿Qué otros elementos tomaste en cuenta?

___

¿Qué juegos conoces en los que se tenga que atrapar, lanzar o golpear un objeto? Si existe alguno característico de tu región, descríbelo.

___

¿A partir de tu participación en el reto consideras que lo realizaste con destreza? ¿Por qué?

___

___

PARA EL ADULTO

- El alumno es ágil al golpear el implemento en el juego.
- El alumno crea nuevas formas de utilizar el implemento.

CON COMPAÑEROS O AMIGOS.

EN UN LUGAR ABIERTO.

Reto: Batea el globo

En este reto utilizarás la fuerza, velocidad y precisión necesarias para golpear un globo en movimiento y proyectarlo hacia un lugar específico.

Materiales:

Dos o tres globos, periódico, cinta adhesiva, un aro de 40 cm de diámetro aproximadamente.

Enrolla el periódico hasta que quede una especie de bat y sujétalo bien con la cinta adhesiva hasta que estés seguro de que no se desenrollará. Amarra el aro en una parte alta; puede ser una rama de árbol u otra superficie donde puedas sujetarlo firmemente.

Consulta en...

Busca información sobre el trabajo en equipo en la página http://sepiensa.org.mx/contenidos/d_tdequipo/teamwork_01.htm

El reto consiste en lograr que el globo entre en el aro en el menor tiempo posible. Para golpear y conducir el globo utiliza únicamente el periódico. Empieza desde un sitio separado a unos 5 m de donde esté colocado el aro. Invita a un amigo y explícale el juego. Pueden comenzar al mismo tiempo y el primero que logre meter el globo en el aro será el triunfador.

Para convertirlo en un juego de colaboración, con la ayuda de todos traten de meter varios globos por un aro en el menor tiempo posible.

¿Qué otro juego puedes inventar utilizando el bat de periódico, el globo y el aro? Practícalo.

Reflexión

¿Por qué es importante la práctica y la constancia en tu vida diaria?

____

____

____

¿Consideras que puedes controlar la fuerza y precisión de tus movimientos para golpear un objeto? Escribe ejemplos de actividades donde lo logres.

____

____

PARA EL ADULTO

- **El alumno golpea con precisión el globo.**
- **El alumno modula su fuerza al golpear el globo.**

CON LA AYUDA DE UN ADULTO.

EN UN LUGAR ABIERTO.

Brazo contra resortera

En este reto lanzarás un implemento con la fuerza, velocidad y dirección necesarias para lograr el propósito, ayudando a los demás participantes y cuidando su integridad física.

Materiales:

Resortera, cartones delgados, cinta adhesiva, marcador, cordón, papel de reúso, rocas pequeñas.

Envuelve una piedra con papel y varias capas de cinta adhesiva; procura que mida de 3 a 4 cm de diámetro y quede muy compacta.

Sujeta firmemente a un árbol o poste, con la cinta adhesiva o cordón, el cartón que utilizarás como blanco. Aléjate unos 20 pasos aproximadamente. ¡A lanzar se ha dicho! Primero lanza la roca envuelta con la mano y después realiza un tiro con la resortera. ¿Cuál de los dos lanzamientos maltrató más la superficie de cartón?

Revisa qué tanto se dañó el cartón con ambos lanzamientos, pues eso te indicará cuál lanzamiento hiciste con mayor fuerza. Recuerda hacer tus lanzamientos con mucha precaución. Si no puedes conseguir una resortera, realiza el reto lanzando de manera alternada con los brazos.

Puedes retar a tus compañeros de juego o a algún familiar para verificar quién realiza el lanzamiento más veloz.

Juega de nuevo. Esta vez dibuja primero un tiro al blanco en el cartón. Traza varios círculos uno dentro de otro: el más pequeño en el centro y con mayor valor, el segundo un poco más grande que el anterior y con menor valor, y así sucesivamente; tú decidirás la distancia que habrá entre los círculos y el valor que le asignarás a cada uno. Esta vez al lanzar la roca envuelta no deberán poner atención en la fuerza sino en la precisión. Ganará el juego aquél que acumule más puntos de acuerdo con el lugar del blanco al que llegue la roca lanzada.

Consulta en...

Busca en la página http://sepiensa.org.mx/contenidos/2006/p_honda/honda_3.htm información acerca de La honda de David y averigua por qué lo caracteriza la precisión en sus lanzamientos.

Llevan el control de los puntos que obtienen al tirar.

Reflexión

Entre todos hagan un análisis a partir de la forma en que lanzaron. ¿Resultó mejor el lanzamiento con la mano derecha o izquierda, o el tiro con las resorteras? ¿Por qué?

____

____

____

____

____

____

PARA EL ADULTO

- El alumno aplica la fuerza, velocidad y dirección necesarias en sus lanzamientos para acertar al objetivo.
- El alumno se muestra responsable ante situaciones peligrosas, en este caso, al realizar sus lanzamientos.

INDIVIDUAL.
CON LA AYUDA DE UN ADULTO.
EN UN LUGAR ABIERTO.

Reto: Boleadoras

Este reto requerirá la fuerza en tus brazos y velocidad en tus lanzamientos, con el fin de desarrollar tu destreza para lanzar.

Materiales:

Dos pelotas grandes de esponja o trapo, una cuerda delgada de 1 m.

Para elaborar tu juguete con pelotas de esponja, pide la ayuda de un adulto. Perforen las pelotas por el centro, pasen los extremos de la cuerda a través de cada una y anúdenlos para que no se zafen; doblen el tramo de cuerda por la mitad, sujétenla con la mano y háganle un pequeño nudo.

Un dato interesante

Algunos jugadores de beisbol pueden lanzar la pelota a una velocidad de entre 150 y 160 km por hora; esto es mayor que los 110 km por hora permitidos en la mayoría de las autopistas en México.

En el caso de que lo hagas con bolas de trapo, átalas a los extremos de la cuerda lo más fuerte posible.

Identifica tu brazo más habil. Sujeta la boleadora que fabricaste exactamente por el nudo del centro, dale vueltas por encima de ti y lánzala lo más fuerte que puedas. Inténtalo alternadamente con uno y otro brazo; también con tu lado menos hábil puedes lograr buenos lanzamientos.

Busca un lugar despejado. Trata de hacer que la boleadora se enrede en algún tubo o árbol delgado. En tus lanzamientos verifica que no haya alguien cerca, para evitar golpearlo. No la lances hacia arriba, pues puedes golpearte o hacer que se atore en algún lugar del que no puedas bajarla.

Reflexión

Observa los lanzamientos de los demás, identifica y anota los movimientos que podrían mejorar los tuyos.

____

____

____

¿Consideras que necesitas más práctica para realizar tus lanzamientos? ¿Por qué? ________________________________

____

____

PARA EL ADULTO

- ○ El alumno utiliza ambos brazos para lanzar.
- ○ El alumno tiene destreza para lanzar.

INDIVIDUAL.

EN UN LUGAR ABIERTO.

Reto: Atrapadas precisas

En este reto estimularás tus habilidades motrices para lanzar, atrapar, y controlar tu fuerza y dirección en el manejo del implemento. Además, propondrás otras maneras de jugar modificando los siguientes elementos: adversario, reglas y espacio.

Materiales:

Palo delgado de 60 cm, pintura, marcadores.

1
2
3
4
5
6

Divide el palo en seis partes iguales, marca los segmentos y decóralo como quieras; es importante que se identifique claramente dónde empieza y termina cada parte, para ello, numéralas del 1 al 6, de arriba abajo.

¡Listo, a jugar se ha dicho! Busca un área despejada donde no corras el riesgo de golpear algo o a alguien. Lanza el palo hacia arriba de tal manera que permanezca en posición vertical y atrápalo con la misma mano que lo lanzaste. Ahora inténtalo con la otra mano.

¿Recuerdas los números escritos en el palo? Repite el mismo procedimiento, pero esta vez, antes de lanzarlo, decide en qué número te gustaría atraparlo e inténtalo. Invita a familiares o amigos y hagan nuevas propuestas para jugar con este implemento, variando los adversarios, reglas y espacio.

Reflexión

¿Qué hiciste para atrapar el palo con mayor precisión?

___

___

Describe cómo te sientes al llevar a cabo tus propuestas de juego.

___

___

PARA EL ADULTO

- El alumno atrapa el implemento con precisión.
- El alumno propone otras formas de juego.

CON COMPAÑEROS O AMIGOS
EN UN LUGAR ABIERTO.

Reto: Orugas

En este reto experimentarás movimientos ágiles y fluidos, además de lanzar eficazmente para intentar atinar a tus oponentes. Junto con tus compañeros aplicarán diferentes maneras de resolver cada situación que se presente.

Materiales:

Pelota suave, gis o algo con que trazar en el suelo.

En el suelo tracen un círculo de aproximadamente 6 m de diámetro y organicen dos equipos equilibrados en número y habilidades.

Un equipo se colocará dentro del círculo y se formarán en hilera agarrando firmemente de la cintura al compañero de adelante. El primero de la fila será el encargado de defender al equipo con sus manos, es el único que puede tocar la pelota sin ser *quemado*, pues los demás se moverán siempre unidos tratando de esquivar la pelota, el integrante que sea tocado saldrá del círculo y pasará a ser del equipo contrario.

El otro equipo estará afuera del círculo y por turnos lanzarán la pelota con el objetivo de tocar a los oponentes (*quemarlos*). Al *quemar* a todos los que están dentro del círculo, los papeles se invertirán.

Después de jugar un rato, piensen maneras diferentes de tener éxito en este juego, tanto al defenderse como al atacar, y pónganlas en práctica. Además, propongan variantes para que el juego sea más divertido y lleven a cabo la que a la mayoría le parezca mejor.

Consulta en...

Existen animales con habilidades parecidas a las de un superhéroe. ¿Quieres saber de quién se trata? Revisa las siete vidas del gato en la página http://sepiensa.org.mx/contenidos/2005/n_sietevidas/sietevidas1.htm

Reflexión

Describe la mejor estrategia en equipo para tener éxito en el juego, tanto al defenderse como al atacar.

____

____

____

Describe los dos movimientos que ejecutaste con mayor fluidez y que te ayudaron a esquivar y a lanzar la pelota con eficacia.

____

____

____

PARA EL ADULTO

- ○ El alumno muestra agilidad en sus movimientos.
- ○ El alumno se adapta con facilidad en juegos colectivos.

CON COMPAÑEROS O AMIGOS.

EN UN LUGAR ABIERTO.

Reto: Canicotas

En este reto aprenderás a controlar la fuerza y la velocidad con la que golpeas un objeto, para darle la dirección necesaria y alcanzar el objetivo.

Materiales:

Cinco rocas pequeñas de máximo 2 cm cada una, papel periódico o trapos, cinta adhesiva o cordón, gis.

Envuelve cada roca con varias capas de lo que tengas a la mano: periódico u otro tipo de papel o tela. Después átalas o envuélvelas firmemente con el cordón o la cinta adhesiva. Deberán quedar unas pelotas de unos 15 cm de diámetro. Marca una de ellas, de tal manera que la distingas de las demás. Traza con gis, en alguna parte del suelo donde se pueda dibujar, un cuadro de aproximadamente 2 m por lado.

Coloca todas tus pelotas dentro del cuadro. Se trata de sacar del cuadro todas las pelotas, golpeándolas con la pelota de tiro, que es la de color diferente. Tú controlas la fuerza y dirección de la pelota de tiro golpeándola con cualquiera de tus pies. Puedes tirar un número ilimitado de veces, siempre y cuando la pelota de tiro no se salga del cuadro. En cuanto ésta salga, le cederás el turno a otro jugador. Diseña las reglas del juego para determinar quién lo hace mejor; puedes tomar en cuenta el estilo de tiro, el tiempo que tardas en sacar todas las pelotas, el número de toques, los tiros más difíciles u otros que decidas.

Reflexión

Escribe qué hiciste para ser certero en tus golpes.

____

____

¿Qué dificultades encontraste al diseñar reglas en equipo?

____

____

PARA EL ADULTO

- El alumno muestra agilidad y precisión en sus piernas.
- El alumno es capaz de controlar implementos con los pies y lo aplica en una situación de juego.

INDIVIDUAL.
EN UN LUGAR ABIERTO O CERRADO.

Reto: Juega e inventa

En este reto crearás un juego en el que pondrás en práctica habilidades como lanzar, golpear y atrapar, además utilizarás tu agilidad y destreza motriz para un mejor desempeño.

Realiza un recuento de los retos que llevaste a cabo durante esta aventura. Si los relacionas con tu vida cotidiana crearás opciones divertidas y enriquecedoras para ti y las personas con quienes las compartas. Al realizarlas, toma medidas de seguridad, ya que en algunos casos los accidentes pueden provocar que las personas queden con alguna discapacidad.

Realiza las siguientes actividades.

Lanzar

Primer día. Observa a tu alrededor en qué situaciones de la vida diaria la gente lanza cosas; conviértete en un investigador y no pierdas detalle. Escribe en tu cuaderno las situaciones en las que identificaste esa acción.

Atrapar

Segundo día. Mira otra vez tu entorno y escribe en tu cuaderno en qué casos la gente atrapa objetos.

Golpear

Tercer día. De igual manera, fíjate cuándo la gente golpea algún objeto. Golpear puede ser útil para crear, por ejemplo, un escultor a través del uso de gubias y de un pequeño martillo hace su obra; cuando un carpintero fabrica una silla, necesita golpear de manera precisa para clavar un clavo.

A partir de tus observaciones inventa un juego:

- Para empezar imagina dicha acción.
- Qué reglas le pondrías para convertirlo en algo divertido.
- Cuántas personas podrán participar.
- Qué material necesitarás.

Escribe tu propuesta. Recuerda los retos que realizaste, te pueden servir de inspiración. Practica el juego que inventaste para verificar si es buena la propuesta.

Reflexión

¿Qué dificultades encontraste al inventar tu juego?

____

____

¿Cómo las solucionaste?

____

____

PARA EL ADULTO

- **El alumno identifica las acciones realizadas en su entorno.**
- **El alumno utiliza su creatividad en la invención de juegos.**

ANECDOTARIO

Comenta con compañeros, familiares y profesores las siguientes preguntas y escribe en tu cuaderno las respuestas. ¿Qué habilidades consideras que has mejorado al realizar los retos? ¿Qué harías para mejorar tus habilidades?

Copia la siguiente tabla en un cuaderno para que la llenes con lo que programaste en la Bitácora de juegos y ejercicio.

Núm. de actividades programadas	Núm. de actividades realizadas	Núm. de actividades no realizadas	No hice algunas actividades porque	Las actividades que más disfrutaste fueron	Al terminar la Aventura mi estatura es	Al terminar la Aventura mi peso es

nero-
ebrero

Aventura 4

Me comunico a través del cuerpo

En esta aventura explorarás tus posibilidades de expresarte y crear, para lograr una mejor comunicación con las personas que te rodean, además de reconocer, sentir y aceptar tu cuerpo.

Al principio de cada mes recuerda programar y anotar tus actividades en el calendario de la Bitácora de juegos y ejercicio de la página 10.

INDIVIDUAL.
EN UN LUGAR CERRADO.

Reto: Los nombres de mis gestos

En este reto observarás tu gesticulación y descubrirás las variantes que tienes en tu rostro para comunicar diferentes emociones.

Materiales:

Espejo, sal, limón, azúcar, café, picante y otros ingredientes.

De acuerdo con la forma en que te mueves, expresas determinadas emociones. Por ejemplo, hay sonrisas diferentes para manifestar diferentes grados de alegría. Esto te ayuda a comunicar lo que sientes, pues en muchas ocasiones es difícil explicar con palabras. Es otra manera de comunicar y sentirte integrado con los demás.

Colócate frente a un espejo y juega a hacer magia: cada vez que pases tu palma por enfrente de tu cara cambia tu expresión, muévete de manera que no te veas reflejado en el espejo y regresa con un nuevo gesto; por ejemplo, levantar una ceja y cerrar el otro ojo, apretar los labios y abrir mucho los ojos, los que se te ocurran. Trata de hacer la mayor cantidad posible de gestos. Ponle un nombre a cada uno y anótalo en un cuaderno.

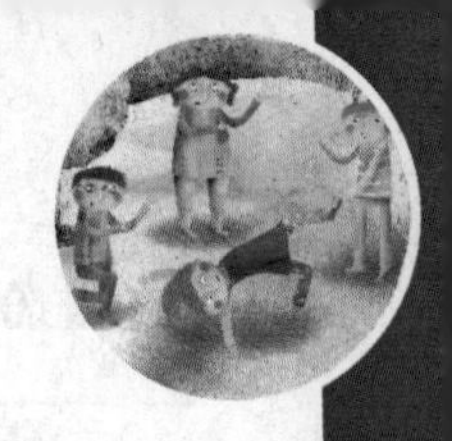

Otra vez colócate frente al espejo y come un poco de cada uno de los ingredientes que se solicitan en los materiales; después de probar cada uno, observa bien tu cara; continúa anotando el nombre que asignes a los gestos que te provocan los alimentos.

Un dato interesante

Los seres humanos tenemos 42 músculos diferentes en la cara y mientras más control tienes de ellos más gestos diferentes puedes hacer.

Consulta en...

Si quieres saber más sobre el poder de un gesto revisa el texto "Samurái" en la página http://sepiensa.org.mx/contenidos/historia_mundo/moderna/samurai/samurai_1.htm

Reflexión

¿Cuántos gestos lograste hacer? ______________________

Piensa y anota qué podrías expresar con tres de los gestos que hiciste.

____

____

¿Por qué es importante identificar lo que los demás comunican con sus gestos?

____

____

PARA EL ADULTO

- El alumno experimenta diferentes formas de expresión facial.
- El alumno identifica lo que puede expresar con sus gestos.

CON COMPAÑEROS O AMIGOS.

EN UN LUGAR CERRADO.

Expresionario personal

En este reto crearás un "expresionario personal", que te ayudará a identificar y ordenar las señas que utilizan las personas cuando quieren comunicar algo.

En nuestra vida diaria hay palabras que son sustituidas por señas hechas con las manos. Las señas son utilizadas, por ejemplo, cuando hay mucho ruido y nuestra voz no se escucha o cuando alguien está muy lejos; también son empleadas por las personas que viven con sordera, pues ellos usan un alfabeto con movimientos manuales para comunicarse.

Ahora te convertirás en un investigador; para ello, observarás y preguntarás a las personas que te rodean cómo expresan algunas acciones o emociones con señas y lo anotarás en el siguiente cuadro.

Expresionario personal

Gracias		**¡Eso no me gusta!**	
Adiós		**¡Tengo hambre!**	
¡Ven para acá!		**¡Después nos vemos!**	

Ahora, para personalizar el "*expresionario*", dibuja en un cuadro como el de la página anterior las señas que tú propongas usar con tu familia, amigos o compañeros de juego, o que sean útiles para alguna actividad en particular.

Reflexión

¿Qué hiciste para identificar las señas que la gente utiliza para comunicarse?

____

____

¿Se te dificultó diseñar nuevas señas para comunicarte?

____

____

¿Por qué? ______________________________________

____

PARA EL ADULTO

- **El alumno identifica las señas que utilizan las personas para comunicarse.**
- **El alumno propone nuevas señas para comunicarse.**

INDIVIDUAL.

CON LA AYUDA DE UN ADULTO.

EN UN LUGAR CERRADO.

Reto: Sin palabras

En este reto te expresarás a través de gestos, movimientos y señas a fin de explorar nuevas maneras de comunicación sin utilizar el lenguaje verbal.

¿Alguna vez has intentado comunicarte con alguien sin hablar? Piensa muy bien cómo podrías utilizar el resto de tu cuerpo para comunicarte eficientemente.

Desde la noche anterior a la actividad, informa en tu casa sobre el reto e intenta realizar todo lo que comúnmente haces, pero sin producir ningún tipo de sonido con tu voz, sólo trata de dar a conocer todo lo que quieres con señas y otros movimientos corporales. Organízate con tu familia para que todos se diviertan con esta buena experiencia.

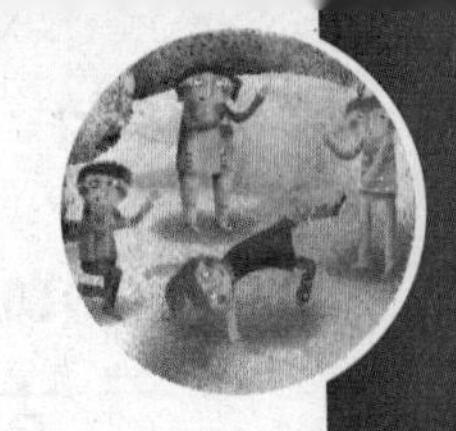

Consulta en...

Hay personas que viven con alguna limitante y tienen que desarrollar habilidades extraordinarias para comunicarse. Conoce una en el texto "Mi pie izquierdo" en: http://sepiensa.org.mx/contenidos/f_pieizq/pie-izq_1.htm

Reflexión

Explica qué fue lo que más se te dificultó al expresarte sin palabras.

___

___

___

___

Anota todas las posibilidades que tenemos para comunicarnos y expresarnos corporalmente.

___

___

___

PARA EL ADULTO

Para este reto observe de cerca al alumno.

El alumno se expresa de manera segura sin utilizar palabras.

CON COMPAÑEROS O AMIGOS.

EN UN LUGAR ABIERTO.

Me expreso

En este reto identificarás la relación que existe entre tus gestos, la postura de tu cuerpo y lo que expresas verbalmente para comunicarte mejor con los demás.

Existen situaciones en las que reforzamos las palabras con expresiones corporales y en otras hasta se sustituyen totalmente, sólo tienes que recordar un poco: ¿qué postura toma alguien cuando se acaba de golpear con algo? Seguro, la persona no necesita decir: "¡Me pegué!", para que sepas lo que pasó.

Sacamos conclusiones de aquello que vemos, pues eso nos ayuda a anticipar situaciones. En algunos casos repetimos las expresiones de nuestros familiares, es decir, aprendemos a comunicar ciertas cosas al verlos a ellos. Así, cada entorno familiar, región o país tiene códigos particulares que otros no entienden o malinterpretan, lo que genera anticipaciones equivocadas.

Acércate a alguien y entabla una conversación durante la cual adoptes la postura y los gestos que comuniquen lo que se propone en la siguiente tabla. Anota otros gestos y acciones que desees comunicar.

Tu plática deberá ser muy cordial y amable, para que exista un contraste claro entre lo que dices verbalmente y tu postura. Toma nota de la reacción de las personas y escribe.

Qué voy a comunicar	Postura y gestos que comuniquen	¿Con quién platicaste y cómo reaccionó?
Voy a salir a jugar con mis amigos	Enojo	
Saqué muy buenas calificaciones el día de hoy	Tristeza	

El saludo es una de las expresiones más cotidianas en el ser humano. Saludamos de diversas formas de acuerdo con la región y con las costumbres del entorno en donde vivimos.

Cambia la forma en la que acostumbras saludar a las personas con las que te relacionas y fíjate muy bien en su expresión facial y corporal. Por ejemplo, si acostumbras saludar de beso a tu mamá, esta vez salúdala firmemente con tu mano contra su palma y enseguida choca tu puño con el de ella, pues quizá así acostumbras saludar a tus amigos; si a alguno de tus compañeros sólo lo saludas con un lejano "¡hola!", ahora salúdalo de mano y muy cortésmente.

Realiza esta parte del reto cuando estés en la escuela: saluda de manera respetuosa y gentil a compañeros de otros grupos o grados que no estés acostumbrado a saludar y que no sepan que vas a hacerlo. No es necesario que tengas contacto con ellos; sólo sé muy efusivo, amable o salúdalos en voz alta. Ponle tu toque personal a cada saludo, sin olvidar que el respeto es fundamental en tu conducta. Observa bien la reacción que tienen; puede ser muy interesante ver cómo cada quien reacciona de diferente forma después de un saludo inesperado.

Saludar a las personas es una muestra de amabilidad y promueve el buen trato entre todos. Conviértelo en un hábito de tu vida diaria.

PARA EL ADULTO

Acompañe al menor en el desarrollo de este reto.

El alumno identifica la relación que existe entre gesticular y dialogar al comunicarse.

El alumno practica diferentes formas de expresión a partir de saludos.

Reflexión

¿Por qué es importante que la actitud que muestras con tu cuerpo y gestos sea congruente con lo que dices?

____

____

____

____

____

Anota la reacción de alguna persona que hayas saludado.

____

____

____

Reto: Imitadores

INDIVIDUAL.

CON LA AYUDA DE UN ADULTO.

EN UN LUGAR ABIERTO O CERRADO.

En este reto observarás cómo se mueve y expresa alguien muy cercano a ti para identificar qué rasgos de expresión son comunes en tu familia o entorno y cuáles son los que te caracterizan a ti.

Existen formas de expresión muy particulares e individuales, gestos y movimientos propios que nos hacen sentir únicos. Por ejemplo, con sólo ver la cara, las manos, la forma de pararse de tus padres o parientes, sabes si están enojados por algo. Muchas de esas formas de expresión las has adoptado tú también, aunque tienes tus propias formas de manifestar enojo, alegría, tristeza, etcétera. ¿Conoces bien cuáles son las formas de expresión que te caracterizan?

Trata de imitar a alguien de tu familia o cercano a ti; es muy importante que esta persona sepa de qué trata el reto y que esté de acuerdo. Imita los movimientos y posturas que adopta en todo lo que hace. Seguramente habrá una reacción inesperada en ella, se reirá o quizá se sienta incómoda. Comenta con esta persona lo que sintió en esta situación.

Investiga o pregunta a los que te rodean qué maneras de actuar o gesticular son comunes en tu familia. Además, identifica tus formas de expresión particulares; es decir, los rasgos que te hacen ser tú. Escríbelos en el siguiente cuadro.

Formas comunes de actuar o gesticular de mi familia	Formas comunes de actuar o gesticular propias

Es muy agradable sentirse identificado por algo con los tuyos, pero también es muy agradable saber que tienes rasgos propios y auténticos.

PARA EL ADULTO

- El alumno se muestra interesado en saber cuáles son los rasgos de expresión gesticular y corporal que lo caracterizan.
- El alumno es respetuoso al dirigirse a los demás.

Reflexión

De los rasgos que compartes con tu familia, ¿cuáles son los que más te agradan? ¿Por qué?

____

____

____

____

____

____

Reto: Mil usos

CON COMPAÑEROS O AMIGOS.

EN UN LUGAR ABIERTO O CERRADO.

En este reto utilizarás tu lenguaje corporal para comunicarte sin usar las palabras y con respeto a las propuestas de los demás.

Materiales:

Bastón, escoba, libro, reloj, silla y otros objetos.

Como has experimentado a lo largo de los retos, el lenguaje corporal puede llegar a ser tan importante como el oral; cada quien tiene estilos propios en los que combina estas habilidades que se desarrollan a lo largo de la vida.

Primero reúne a algunos compañeros de juego, que pueden ser cuatro o más. Ya que estén en algún sitio cómodo, cada uno elija algún objeto que esté al alcance, como un bastón, un libro o un recogedor.

¡Listos! Ahora viene lo más divertido. Se vale hacer sonidos pero no hablar. Tomen uno de los objetos al azar y decidan quién inicia. Uno por uno, realicen una representación en la que le den una función distinta al objeto elegido, por ejemplo: el primer participante toma el bastón y actúa como si éste fuera una guitarra y produce el sonido con su boca, el segundo lo toma como si fuera una caña de pescar, entre otras cosas. No se deben repetir las acciones realizadas por otros compañeros. Pierde el que se quede sin hacer nada o el que repita algo que ya se haya propuesto. Continúen con los demás objetos hasta terminar con todos. Recuerden respetar las propuestas de sus compañeros.

Es asombroso cómo un mismo objeto puede desencadenar diferentes emociones y actuaciones, según el entorno y las circunstancias de vida y aprendizajes de cada quien.

Reflexión

¿Cómo te sentiste en el momento de estar al frente de los demás y expresar tu idea?

____

¿Por qué consideras que fue así?

____

¿Por qué es importante respetar a alguien que comunica algo frente a un grupo?

____

PARA EL ADULTO

- El alumno se muestra creativo al momento de expresar corporalmente una idea.
- El alumno utiliza un objeto para expresar diferentes ideas.

CON COMPAÑEROS O AMIGOS.

EN UN LUGAR CERRADO.

Reto: Adivina adivinador

En este reto explorarás lo que realizaste a lo largo de la aventura: la manera en que te expresas con el cuerpo para que tus movimientos complementen lo que dices y tus mensajes sean comprendidos por los demás, en un ambiente de solidaridad y respeto.

Materiales:

10 tarjetas de 20 x 10 cm y 10 de 30 x 30 cm de cartón o de otro material, instrumentos para escribir y dibujar.

En este último reto de la aventura jugarás con tus amigos algo interesante. ¿Te gustan las adivinanzas? Te proponemos un juego que gira alrededor de lo que comunicas con tu cuerpo y de tu habilidad para adivinar. Invita a compañeros de juego, amigos o familiares, pues entre más personas participen más divertido será.

Elabora dos grupos de tarjetas: en unas, escribe una acción; en las otras, dibuja imágenes que representen esas acciones. Te proponemos algunas, pero una vez que realices el juego puedes sugerir más.

- Un niño juega con la pelota en la sala de su casa y rompe algo.
- Saliste a dar un paseo por la colonia y pisaste algo.
- Vas manejando tu autobús, te distraes y pasas un tope inesperadamente.
- Un niño juega canicas con sus amigos y no se fija que el suelo está lleno de lodo.
- Un niño hace un papalote y lo vuela, pero se le rompe el cordel.
- Un alumno, en la escuela, se equivocó al anotar la respuesta de las operaciones.

Primero determinen el orden de participación, puesto quetodos los integrantes del juego tendrán que actuar, uno por uno. Las tarjetas de imágenes deberán estar en el suelo o en una mesa, repartidas de manera que todos las puedan ver bien. Las tarjetas de acciones estarán apiladas con las letras hacia abajo. El primero en pasar deberá tomar una de estas tarjetas, sin que nadie más la vea y tendrá que actuar lo que dice frente a todos, con gestos, moviendo las manos y todo el cuerpo, produciendo sonidos con la boca, pues lo único que no está permitido es hablar. El resto del grupo tratará de relacionar lo que él hace con las tarjetas de imágenes: el primero que levante la tarjeta que corresponde a la acción que el compañero está representando tendrá dos puntos a su favor, y el que actúe tendrá un punto cada vez que alguien relacione correctamente lo que expresa con su cuerpo y las tarjetas de imágenes.

Este juego puede ser realmente divertido. ¿Estás listo? ¡Adelante!

Un dato interesante

Pantomima es una palabra de origen griego que significa "que todo imita". Se realiza al utilizar los movimientos como una forma de expresión. Quien la practica es llamado *mimo*, que con gestos y movimientos simula interactuar con cosas o situaciones que no están presentes.

Reflexión

¿Cómo lograste adivinar los movimientos que representaron tus compañeros?

___

___

¿Qué dificultad encontraste al tratar de representar tus acciones?

___

___

¿Qué experimentas cuando los demás respetan tu participación?

___

___

PARA EL ADULTO

El alumno se expresa e interpreta a los demás de manera eficiente.

ANECDOTARIO

Comenta con compañeros, familiares y profesores las siguientes preguntas y escribe en tu cuaderno las respuestas.
¿Qué beneficios obtienes al ser congruente entre la postura de tu cuerpo y lo que sientes cuando te expresas?
Describe la postura que más utilizas para expresarte.

Copia la siguiente tabla en un cuaderno para que la llenes con lo que programaste en la Bitácora de juegos y ejercicio.

	Núm. de actividades programadas	Núm. de actividades realizadas	Núm. de actividades no realizadas	No hice algunas actividades porque	Las actividades que más disfrutaste fueron	Al terminar la Aventura mi estatura es	Al terminar la Aventura mi peso es
Marzo-Abril							

Aventura **5**

Dame un punto de apoyo y moveré al mundo

En esta aventura pondrás a prueba tus capacidades físico-motrices e identificarás aspectos importantes del juego como: ataque, defensa, cooperación y oposición.

Identificar y reconocer tus capacidades físicas es importante, ya que al hacerlo puedes aceptar tu potencial y tienes la posibilidad de mejorarlo. La fuerza, la velocidad, la resistencia y la flexibilidad son capacidades físico-motrices que puedes desarrollar por medio del ejercicio físico.

Recuerda al principio de cada mes programar y anotar tus actividades en el calendario de la Bitácora de juegos y ejercicio en la página 10.

CON COMPAÑEROS O AMIGOS.

EN UN LUGAR ABIERTO.

Reto: Veneno

En este reto identificarás algunos elementos básicos de un juego motor, como anticiparse u oponerse a un compañero. Con ellos lograrás crear tus propias estrategias para optimizar el uso de tu fuerza u otras capacidades físico-motrices.

Materiales:

Suéter, costal.

Veneno es un juego tradicional que en algunas regiones de México es transmitido de generación en generación. Es muy divertido e implica poner a prueba la fuerza, la velocidad y la estrategia personal de quien lo practica.

¿Cómo se juega? Invita a varios compañeros de juego, amigos o familiares, cinco o más. Busquen un área despejada en la que no haya objetos que se puedan romper o que ustedes se puedan lastimar si se caen, de preferencia un lugar donde haya pasto o tierra. Tengan a la mano un objeto como

un suéter, un costal o algo que sea suave y que no pueda dañarlos si chocan con él. Formen un círculo alrededor del objeto, ahora llamado "veneno", de tal manera que quede en el centro; deben tomarse de las manos y a la señal deben girar hacia el mismo lado, cada uno jalando a los otros para provocar que toquen el "veneno".

La persona que toque más veces el "veneno" realizará actividades determinadas por los jugadores; por ejemplo, contar un chiste. Pueden formar equipos.

Después de practicarlo, puedes proponer algunas variantes que consideres hagan más divertido, más fácil o difícil el juego. Escribe en un cuaderno los movimientos que necesitas hacer para evitar tocar el objeto, al anticiparte a tus compañeros, y lograr que ellos lo toquen primero.

Reflexión

¿En qué partes del cuerpo percibiste que aplicabas más fuerza?

____

____

¿Para qué te sirve reconocer las capacidades físico-motrices de los demás?

____

____

Describe qué es anticiparse dentro de la dinámica de un juego.

____

____

PARA EL ADULTO

El alumno reconoce la utilidad de las capacidades físico-motrices.

El alumno identifica las partes del cuerpo en las que aplica fuerza.

CON COMPAÑEROS O AMIGOS.

EN UN LUGAR ABIERTO.

Reto: Piensa y pasa

En este reto, podrás reconocer las nociones de ataque, defensa y colaboración, mediante un juego de reglas.

Materiales:

Pelota pequeña de papel cubierta con cinta adhesiva. Gis o algo para marcar en el suelo, cubeta.

Con tus compañeros, formen dos equipos de entre tres y cinco integrantes cada uno. Traza en el suelo dos círculos a partir del mismo centro, uno de aproximadamente 8 metros de diámetro y el otro de un metro. Dentro del círculo pequeño coloquen la cubeta.

El reto consiste en pasar la pelota con los integrantes de su equipo hasta que un integrante llegue al círculo central e intente meter la bola en la cubeta para obtener un punto.

Las reglas a seguir son las siguientes:

- No se puede salir de la zona de juego.
- La pelota se tiene que pasar golpeándola con las manos, quien la tenga en su poder no puede desplazarse.
- Los integrantes del equipo que no tengan la pelota pueden interceptarla entre los lanzamientos, pero no pueden quitársela de las manos al oponente.
- Cuando un jugador reciba la pelota junto al círculo pequeño; podrá entrar en él y tendrá la posibilidad de obtener un punto, para esto se colocará de tal manera que la cubeta quede entre sus piernas, pues en esa posición golpeará la pelota hacia arriba y se moverá para que ésta entre en la cubeta. Si no lo logra, la pelota pasa al equipo contrario.

Hagan pausas durante el juego para buscar nuevas estrategias de ataque y busquen otra manera de hacer un punto.

Reflexión

Escribe una estrategia de ataque y una de defensa que utilizaste.

____

____

¿Por qué es importante la colaboración en el desarrollo de un juego?

____

____

PARA EL ADULTO

- **El alumno identifica las estrategias que utilizó en el reto.**
- **El alumno reconoce la importancia de la colaboración dentro de un juego.**

CON COMPAÑEROS O AMIGOS.

EN UN LUGAR ABIERTO.

Reto: Lucha con bastón

En este reto experimentarás cómo se puede desarrollar la flexibilidad y la fuerza, además de aplicar una estrategia para mejorar tu desempeño al reconocer los movimientos que implican ataque y defensa.

Materiales:

Palo grueso.

Busca un palo grueso, verifica que no sea muy débil para que no se rompa, ya que tendrás que jalarlo, e invita a algunos compañeros de juego, amigos o familiares. Busquen un espacio despejado, pues el reto se desarrollará en el suelo. Procuren que éste sea suave, como pasto o tierra.

Deberán organizarse en parejas, de preferencia de la misma estatura; los integrantes de cada pareja se sentarán frente a frente con las piernas extendidas, de tal manera que las plantas de sus pies queden juntas. Tomarán firmemente con las dos manos el palo, procurando que éste quede paralelo al suelo. Tendrán que empezar a jalar el palo y, tratando de no doblar las piernas, deberán conseguir que el contrincante se despegue del suelo.

Busca otras maneras de jugar con el bastón para ejercitar las mismas habilidades, teniendo mucho cuidado de no lastimarte.

Reflexión

¿Observar las habilidades de tu contrincante te sirvió para mejorar tu desempeño?

___

___

¿Cuál fue tu estrategia para intentar ganar?

___

___

¿Cómo utilizaste la flexibilidad en este reto?

___

___

PARA EL ADULTO

- El alumno utiliza la fuerza y flexibilidad al realizar los juegos.
- El alumno busca otras formas de jugar con el implemento.

INDIVIDUAL.
EN UN LUGAR ABIERTO.

Reto: El papel mágico

En este reto identificarás tus capacidades físico-motrices, en particular la velocidad, para saber qué tan rápido corres o mueves tus brazos.

Materiales:

Periódico o papel de reúso.

Cuando te mueves con mucha velocidad, el aire puede golpear tu cara con fuerza; entre más rápido vayas, más fuerte golpeará el viento en tu cuerpo. Lo mismo pasa con un vehículo; por ejemplo, cuando un auto o autobús avanza rápido y lleva una bandera, el viento impacta tan fuertemente que la mueve mucho y hasta la puede romper.

Ésta es una actividad en la que tienes que moverte muy rápido. Consigue una hoja de papel periódico, de una revista o cualquier otro material similar. Sostenla con tus manos a la altura de tu abdomen y comienza a correr rápidamente en un espacio abierto; si logras que el papel no caiga al suelo, entonces es suficiente tu velocidad para que el aire que choca con tu cuerpo detenga ahí la hoja. Si no lo lograste, inténtalo sosteniendo el papel en una mano, pues no lo puedes tomar con tus dedos. Mueve tus brazos rápidamente dibujando "ochos", al tiempo que corres.

La velocidad de tus movimientos te puede ayudar a solucionar o atender situaciones importantes en tu vida. Si realizas continuamente actividades en donde estimules esta capacidad, la puedes desarrollar mejor. Si después de correr o hacer actividad física sientes dolor u otras molestias, es recomendable que visites a un médico.

Reflexión

Identifica al menos tres situaciones en las que tengas que actuar con velocidad y descríbelas.

___

___

¿Te sientes bien con la velocidad que alcanzas al desplazarte? ¿Por qué?

___

___

PARA EL ADULTO

- **El alumno se desplaza con velocidad para lograr el reto.**
- **El alumno identifica situaciones de su vida en las que se desplaza con velocidad.**

CON COMPAÑEROS O AMIGOS.

EN UN LUGAR ABIERTO O CERRADO.

Reto: Voltea la tortilla

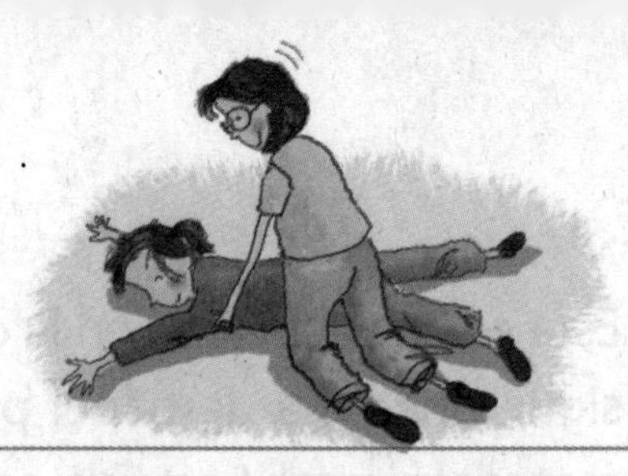

En este reto emplearás la fuerza y la velocidad para resolver situaciones de juego. Además, identificarás en qué momento es necesario anticiparte y oponerte a los movimientos de tus compañeros.

Para lograr el reto de voltear la tortilla necesitas invitar a un compañero de juego, un amigo o un familiar, de preferencia con una complexión parecida a la tuya. Busca una superficie suave: pasto, tierra, alfombra o un colchón.

Uno de los participantes se colocará acostado boca abajo, con las piernas y brazos extendidos y separados.

El jugador que se encuentra de pie intentará, utilizando su fuerza, voltear a su compañero en el menor tiempo posible. El otro jugador tratará de evitar que lo volteen. Una vez que el jugador que está de pie logre voltear a su contrincante, podrán cambiar los papeles y jugar de nuevo. Invita a otras personas para formar dos equipos y mientras la mitad se pone boca abajo, la otra mitad intenta voltearlos. Traten de hacerlo en menos tiempo que el contrincante, analizando aspectos importantes del juego como la anticipación a los movimientos del otro y la oposición oportuna a la fuerza, o dirección de los movimientos del contrario.

PARA EL ADULTO

- El alumno propone estrategias durante el desarrollo del juego.
- El alumno emplea su fuerza con seguridad al participar en el juego.

Reflexión

¿Cuál fue la estrategia que utilizaste para voltear a tu compañero?

____

¿Consideras que necesitas dedicar más tiempo para desarrollar tus capacidades físico-motrices?

____

CON COMPAÑEROS O AMIGOS.

EN UN LUGAR ABIERTO.

Reto: Recoge tesoros

En este reto reconocerás el esfuerzo de los demás y ejercitarás algunas de tus capacidades físico-motrices como la fuerza, la velocidad y la flexibilidad, identificando la utilidad que tiene cada una en la vida diaria.

Materiales:

Bote o cubeta, gis o algún otro instrumento para marcar el suelo, papel de reúso.

Reúnete al menos con tres amigos. Primero necesitan hacer 10 o más pelotas pequeñas de papel; distribúyanlas en un área despejada. Con el gis, tracen una línea de 1 metro de largo y coloquen la cubeta a 1.5 metros de la línea. Cuando tengan todo listo será hora de jugar.

Formen dos equipos. La consigna es levantar las pelotas de papel apoyando espalda con espalda y flexionando las piernas. No se vale utilizar las manos para bajar ni subir; sólo las usarán para levantar las pelotas. Cuando logres coordinar tus movimientos con los de tu pareja, recuerda reconocer el esfuerzo y capacidad que empleó.

Una vez que hayan recogido una pelota deberán correr a la línea de lanzamiento (la que se trazó con gis). Colóquense entonces de espaldas al bote; con las piernas separadas flexionen el tronco al frente y lancen la bola por entre las piernas para intentar meterla en el bote. El otro equipo debe llevar el tiempo contando en voz alta. Identifiquen qué equipo lo hace más rápido.

Una variante de este juego puede ser realizar la actividad de forma individual: cada quien deberá recoger las pelotas parado sobre un solo pie, luego saltará hasta la línea y hará el lanzamiento de frente. Diseñen otras variantes.

Reflexión

¿Qué sientes cuando los demás reconocen tus aciertos?

____

____

¿Consideras importante desarrollar tus capacidades físico-motrices para mejorar tu participación y divertirte con los demás? ¿Por qué?

____

____

Escribe en qué otro tipo de actividades utilizas tus capacidades físico-motrices como la fuerza, la flexibilidad o la velocidad.

____

____

PARA EL ADULTO

- **El alumno reconoce sus capacidades fisicomotrices.**
- **El alumno identifica en qué momentos de su vida utiliza sus capacidades físico-motrices.**

Consulta en...

Para recoger objetos que no son tesoros, pero que sí contaminan busca información sobre contaminar, reciclar y reutilizar en la página http://sepiensa.org.mx/contenidos/2004/contaminacion/contaminar1.htm

Me ejercito y me divierto

En este reto estimularás tu resistencia, otra de las capacidades físico-motrices. Además, pondrás en práctica lo aprendido durante la aventura.

En esta aventura identificaste la utilidad de desarrollar tus capacidades físico-motrices como la fuerza, flexibilidad y velocidad, así también has puesto en práctica los principios de ataque, defensa, anticipación y colaboración en el juego, lo que te permitió reconocer tu esfuerzo y el de los demás.

Para este juego son necesarios por lo menos seis participantes, organizados en dos equipos. Marquen en el suelo el área de juego como se muestra en la siguiente imagen.

Materiales:

Pelota, gis u otro material para marcar en el suelo, bote de lata vacío o botella de plástico.

Decidan cuál será el equipo atacante y cuál el defensor. Los integrantes del primer equipo tratarán de derribar el bote que está en el centro del círculo. Unicamente lo podrán hacer lanzando la pelota desde afuera del mismo círculo; pueden dar los pases que sean y correr con la pelota un máximo de 10 pasos. El equipo defensor tratará de impedir que los otros derriben el bote y, además, si al perseguirlos logran atrapar a un atacante cuando tenga la pelota en las manos, éste pasará a formar parte del equipo contrario. No pueden arrebatar la pelota de las manos, sólo interceptarla en el trayecto del pase; cuando lo logren o cuando derriben la botella, los equipos cambiarán lugares.

Durante el juego observa tu desempeño y el de tus compañeros, la manera en que defienden y atacan, reconoce en ti y en los demás sus aciertos, virtudes y equivocaciones.

Al mantenerte en constante movimiento durante el juego estarás estimulando tu resistencia. Con la práctica podrás jugar más tiempo, te moverás más rápidamente, tu fuerza será oportuna y eficaz, además de que disfrutarás más la actividad.

Reflexión

Describe cómo estimulaste cada una de las capacidades físico-motrices en este juego.

Fuerza: ______________________________

Flexibilidad: ______________________________

Velocidad: ______________________________

Resistencia: ______________________________

Escribe una estrategia que utilizaste para anotar y otra para defender.

____

¿Qué capacidad física consideras que tienes que mejorar? ¿Por qué?

____

PARA EL ADULTO

- El alumno valora la importancia de ejercitar sus capacidades físicas.
- El alumno reconoce sus cualidades y las de los demás.

ANECDOTARIO

Comenta con compañeros, familiares y profesores las siguientes preguntas y escribe en tu cuaderno las respuestas.
¿Cuáles son las capacidades físico motrices?Describe situaciones de tu vida donde utilices cada una.

Copia la siguiente tabla en un cuaderno para que la llenes con lo que programaste en la Bitácora de juegos y ejercicio.

	Núm. de actividades programadas	Núm. de actividades realizadas	Núm. de actividades no realizadas	No hice algunas actividades porque	Las actividades que más disfrutaste fueron	Al terminar la Aventura mi estatura es	Al terminar la Aventura mi peso es
Mayo-Junio							

Balance anual

Revisa las tablas que contestaste al final de cada Aventura, analiza los datos y responde las siguientes preguntas.

¿Cuántos juegos o actividades físicas programaste en el año escolar?

____

____

¿Cuántas realizaste?

____

____

Comenta por qué no realizaste algunas de ellas.

____

____

¿Qué actividad disfrutaste más?

____

____

¿Cuál menos?

____

____

Balance anual de talla y peso

Primer bimestre: Estatura: __________ Peso: __________

Quinto bimestre: Estatura: __________ Peso: __________

Diferencia: __________ __________

Analiza los datos anteriores y reflexiona acerca de ellos.

Glosario

- **Armonía:** Convivir en paz con la gente que está a nuestro alrededor.
- **Capacidad física:** Característica anatómica y fisiológica que permite el movimiento.
- **Código:** Conjunto de signos que permiten descifrar un mensaje.
- **Comunicación:** Intercambio de mensajes entre dos o más personas, que les permiten relacionarse.
- **Comunicación gestual:** Transmisión de señales mediante gestos.
- **Destreza motriz:** Ser eficiente en una habilidad.
- **Eficacia:** Capacidad de realizar una actividad y lograr un efecto deseado.
- **Empatía:** Facultad de identificarse emocional y mentalmente con otra persona.
- **Estímulo sensorial:** Cualquier cosa que se percibe a través de los sentidos.
- **Expresión corporal:** Comunicación de un mensaje por medio de gestos y movimientos del cuerpo.
- **Flexibilidad:** Capacidad de las articulaciones y músculos para ejecutar movimientos con amplitud.
- **Fuerza:** Capacidad para levantar, soportar o vencer un peso o masa, mediante la acción muscular.
- **Gubia:** Herramienta que usan los carpinteros y artistas para labrar o hacer formas en superficies de madera.
- **Habilidad motriz:** Capacidad para realizar un movimiento con facilidad, como caminar, correr, saltar, trepar y lanzar.
- **Hastío:** Sensación de aburrimiento o cansancio por una cosa que ya no satisface.
- **Juego motor:** Actividad que se utiliza para divertirte, incluyendo acciones de movimiento y siguiendo determinadas reglas.

- **Plan:** Proyecto o modelo que se tiene para hacer algo.
- **Problema motor:** Situación de movimiento que presenta dificultad y que se intenta resolver.
- **Propósito:** Lo que se pretende conseguir con determinada acción.
- **Relajación:** Disminución de la tensión de los músculos.
- **Respiración:** Proceso que se inicia con la ventilación pulmonar, la inspiración y espiración.
- **Ritmo:** Capacidad de identificar y reproducir movimientos a diferentes velocidades.
- **Seña:** Movimiento con las manos u otra parte del cuerpo que significa algo.
- **Sincronizar:** Coordinación de dos o más movimientos.
- **Tensión muscular:** Grado de rigidez que un músculo tiene cuando realiza un movimiento o durante el reposo.
- **Velocidad:** Capacidad que tiene el cuerpo para realizar un movimiento en el menor tiempo posible.

Educación Física. Quinto grado
se imprimió por encargo de la Comisión Nacional
de Libros de Texto Gratuitos, en los talleres
de Impresora y Editora Xalco , S.A. de C.V.,
con domicilio en Av. J.M. Martínez y Av. 5 de Mayo,
Col. Jacalones, C.P. 56600, Chalco, Estado de México,
en el mes de mayo de 2011.
El tiraje fue de 2'901,850 ejemplares.

Impreso en papel reciclado

¿Qué opinas de tu libro?

Tu opinión es importante para que podamos mejorar este libro *Educación física, quinto grado*. Marca con una **X** el círculo de la respuesta que mejor exprese lo que piensas.

1. ¿Te gustaron los retos?
   Mucho ○ Poco ○ No me gustaron ○

2. ¿Las instrucciones de los retos fueron claras?
   Siempre ○ A veces ○ Nunca ○

3. ¿Te gustaron las imágenes?
   Mucho ○ Poco ○ No me gustaron ○

4. ¿Las imágenes te ayudaron a entender las actividades?
   Todas ○ Algunas ○ Ninguna ○

5. ¿Te fue fácil conseguir los materiales?
   Siempre ○ A veces ○ Nunca ○

6. ¿Las preguntas de las reflexiones fueron claras?
   Siempre ○ A veces ○ Nunca ○

7. ¿El glosario te ayudó a entender las palabras desconocidas?
   Siempre ○ A veces ○ Nunca ○

8. ¿Quién te ayudó a contestar el cuadro para el adulto?
   Madre ○ Padre ○ Otro familiar ○ Nadie ○

Los retos te permitieron:

	Mucho	Poco	Nada
9. Mejorar en tus actividades cotidianas.	○	○	○
10. Jugar con amigos o compañeros de escuela.	○	○	○
11. Convivir con los adultos de tu familia.	○	○	○
12. Hacer las cosas por ti mismo.	○	○	○

13. ¿Te gustaría hacer sugerencias a este libro?

Si tu respuesta es sí, escribe cuáles son:

____

____

____

____

____

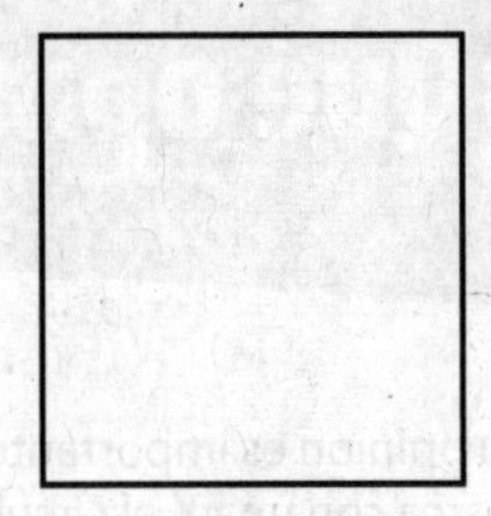

SEP

DIRECCIÓN GENERAL DE MATERIALES EDUCATIVOS
Dirección de Desarrollo e Innovación de Materiales Educativos
Viaducto Río de la Piedad 507, cuarto piso,
Granjas México, Iztacalco,
08400, México, D. F.

Datos generales

Entidad: ______________________________

Escuela: ______________________________

Turno: Matutino ☐ Vespertino ☐ Escuela de tiempo completo ☐

Nombre del alumno: ______________________________

Domicilio del alumno: ______________________________

Grado: ______________________________